DU MÊME AUTEUR

Aux Éditions Verticales

Je marche sous un ciel de traîne, *2000*

La vie voyageuse, *2003*

Ni fleurs ni couronnes, *collection « Minimales », 2006*

Corniche Kennedy, *2008* ; *« Folio » n° 5052*

Naissance d'un pont, *2010* ; *« Folio » n° 5339*

Tangente vers l'est, *collection « Minimales », 2012*

Réparer les vivants, *2014* ; *« Folio » n° 5942*

Chez d'autres éditeurs

Dans les rapides, *Naïve, 2007* ; *« Folio » n° 5788*

Nina et les oreillers, *illustrations d'Alexandra Pichard, Hélium, 2011*

Pierre, feuille, ciseaux, *avec les photographies de Benoît Grimbert, Le Bec en l'air, 2012*

Hors-pistes, *illustrations de Tom Haugomat, Éditions Thierry Magnier, 2014*

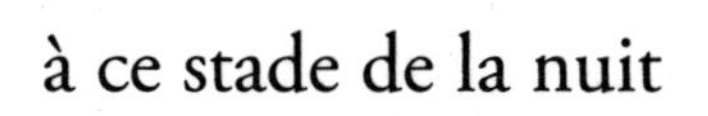

à ce stade de la nuit

maylis de kerangal

à ce stade de la nuit

verticales

À ce stade de la nuit a été publié dans une première édition à tirage limitée en mai 2014 à l'initiative de la Fondation Facim (Fondation pour l'action culturelle internationale en montagne) dans la collection « Paysages écrits » qu'elle coédite avec les Éditions Guérin. Ce texte est le fruit d'une commande passée à l'auteur à l'occasion des 14es Rencontres littéraires en pays de Savoie qui se sont tenues le 7 juin 2014 à Chamonix.

L'auteur remercie Mathilde Walton.

collection « minimales »

Une cuisine, la nuit. L'unique lampe allumée crée au-dessus de la nappe un cône de lumière dorée que matérialisent les particules en suspension – une fois l'ampoule éteinte, je doute toujours de leur existence. Je suis rentrée tard et je traîne, assise de travers sur la chaise de paille, le journal étalé bien à plat sur la table et lentement feuilleté, le café du matin versé dans un mug, réchauffé aux micro-ondes et lentement bu. Tout le monde dort. Je fumerais bien une cigarette. La radio diffuse à faible volume un filet sonore qui murmure dans l'espace, circule et tournoie comme le ruban de la gymnaste. Je ne réagis pas aussitôt à la voix correctement timbrée qui, inaugurant le journal après les douze coups de minuit, bégaye la tragédie sinistre qui a eu lieu ce matin, je perçois seulement une accélération, quelque chose s'emballe, quelque chose de fébrile. Bientôt un nom se dépose : Lampedusa. Il résonne entre les murs, stagne, s'infiltre parmi les poussières, et soudain il est là, devant moi, étendu de tout son long, se met à durcir à mesure que les minutes passent – coulée de lave brûlante plongée dans la mer.

Je rassemble et organise l'information qui enfle sur les ondes, bientôt les sature, je l'étire en une seule phrase : *un bateau venu de Libye, chargé de plus de cinq cents migrants, a fait naufrage ce matin à moins de deux kilomètres des côtes de l'*île de Lampedusa ; *près de trois cents victimes seraient à déplorer*. Il me semble maintenant que le son de la radio augmente tandis que d'autres noms déboulent en bande – Érythrée, Somalie, Malte, Sicile, Tunisie, Libye, Tripoli –, tandis que les nombres prolifèrent, se chevauchent, s'additionnent ou se fractionnent, tandis qu'ils comparent :

283 noyés lors d'un naufrage à l'aube de Noël en 1996, près de 3000 morts ou disparus depuis 2002, environ 350 aujourd'hui, ce 3 octobre 2013.

à ce stade de la nuit, je suis tournée vers la radio et scrute les bâtonnets vert fluo qui avancent et reculent sur le sonagramme, ce traceur électrique qui décrit et analyse les voix que j'entends, leur intensité, leur fréquence, mais il y a tant de personnes indignées dans le studio que les traces lumineuses s'affolent, et vont buter contre les repères – cris.

La première image qui me vient à l'esprit est le visage de Burt Lancaster. Il apparaît dans un flash, je l'identifie aussitôt : plan américain, visage et buste en majesté, épaulé dans une veste élégante, lavallière blanche. Il est Don Fabrizio, prince Salina, il est *Le Guépard* de Luchino Visconti : c'est lui.

Je fixe le ballet des poussières dans le faisceau lumineux qui tombe de l'abat-jour orangé : le soir tombe, et Don Fabrizio, de retour dans sa résidence d'été de Donnafugata, s'apprête à recevoir Don Calogero, un paysan du village désormais plus riche que lui-même, incarnation empressée et mal fagotée de la bourgeoisie montante, agent d'un nouvel ordre social avec lequel le prince devra s'allier, afin, justement, « que tout change pour que rien ne change ». Le prince est debout en haut de l'escalier qui conduit aux salons du palais, torse incliné dominant la volée de marches, il se tient noble et figé dans l'éclat de son nom et ce qui émane de lui manifeste le charisme et l'autorité de son rang, de son sang. Bientôt, entouré de son fils et de son neveu – la jeunesse, la relève –, il pose les yeux sur le petit homme sagace qui gravit l'escalier, engoncé dans un frac qui n'est pas de circonstance – cet homme dont il sait l'ascension, dont il sait l'assaut –, il le salue d'une voix forte et chaleureuse, quand son expression, elle, demeure étrangement lointaine, il l'accueille dans sa demeure et le fait entrer chez lui – un instant qui est peut-être la seconde décisive du film, ce mouvement de bascule entraînant l'engloutissement de l'ancien monde, l'instant où l'aristocratie sicilienne chavire – ; le regard du prince est voilé de mélancolie, il est déjà dans la mort.

Burt Lancaster a cinquante ans en 1963, l'année du film. Corps athlétique, mâchoire carrée, nez droit, sourire légendaire – blancheur, santé, optimisme, volonté de puissance –, que contredisent ces yeux trop clairs, d'un bleu liquide, ces yeux qui sondent l'envers du monde, cette zone intérieure de vacillement et de trouble. Un corps de cinéma taillé dans la machine à fiction hollywoodienne, rompu aux incarnations multiples – soixante-quinze films en cinquante ans – et un visage d'acteur, autrement dit un visage recouvert d'écritures, les compulsant une à une et les fusionnant toutes en un seul récit dont Burt Lancaster est l'absent.

Soudain, l'aristocrate immobile, majestueux en son île, s'efface sous une autre figure, mobile celle-là, celle d'un homme en maillot de bain surgi à l'orée d'une forêt américaine. Il apparaît comme directement issu de la nature, comme à l'état sauvage : c'est Ned Merrill dans *The Swimmer* de Frank Perry, film de 1968. Ou l'odyssée d'un homme qui a formé l'étrange projet de rentrer chez lui à la nage, en traversant une à une les piscines privées des somptueuses propriétés de la vallée où il vit, dans le Connecticut – des piscines qui forment une rivière imaginaire qu'il baptise du nom de sa femme, Lucinda. Au cours de son périple, Ned Merrill croise des propriétaires qui s'étonnent, puis se déclarent ravis de le revoir, après tout ce temps, mais ces individus sont si superficiels, enveloppes sans vie flottant sur une débauche de luxe, qu'ils ne lui renvoient qu'une sensation palpable d'inanité et de dégoût, une impression de morbidité.

Tentative de fuite pour se libérer d'un monde et se réinventer, ou tentative pour rentrer chez soi et retourner à la vie d'avant, désir purificateur de renaître, neuf et vierge, afin de repartir de zéro : l'homme nage jusqu'à épuisement de son projet fou. Burt Lancaster l'incarne en migrant abîmé dans une trajectoire de plus en plus douloureuse, un parcours où son corps fatigue, souffre et se détériore à mesure que croît la sensation d'être étranger au monde qui l'entoure, et doutant de sa réalité.

Peu à peu, le prince Salina et Ned Merrill m'apparaissent comme deux versions d'une même humanité, le recto et le verso d'un même homme. Bien que situés aux antipodes l'un de l'autre, puisque figurant l'ornement et le nu, le foncier et le rêve, la terre et l'eau, le continu et le discontinu, le temps et l'instant, ils partagent cette même splendeur du corps qui peu à peu fléchit au cours du film, une même solitude froide sous un soleil qui tape, une même sensation de vieillissement et de vide au spectacle d'une société riche, fermée, égoïste – dîners et bals, cocktails-parties géantes –, cette même insondable tristesse. Je les envisage comme deux frères. Et plus j'y pense, plus je trouve extraordinaire que Burt Lancaster, désigné si souvent comme un « aristocrate » du cinéma, soit né à New York en 1913, issu de l'émigration anglo-irlandaise, et tienne ensemble ces deux identités qui cohabitent dans le nom de Lampedusa : il est le prince et le migrant.

à ce stade de la nuit, je tourne toujours les pages du journal, je les balaie du regard, je repère les titres, les légendes des photographies, j'accroche ce qui est en italique, les gras et les majuscules, je creuse un peu plus avant dans les pavés de textes – le montage des articles, d'une logique cryptée, agence différentes focales et la lisibilité du monde est une aventure disloquée – tandis qu'une voix radiophonique densifie graduellement l'information essentielle de la nuit : surtout des Somaliens et des Érythréens ; un chalutier ; entassement ; promiscuité ; conditions d'embarquement des Noirs durant la traite négrière ; des hommes des femmes des enfants des bébés ; une panne alors que la traversée s'achevait ; clandestins ; un passager aurait mis le feu à une couverture afin d'alerter les autres bateaux ; tassés les uns contre les autres sans pouvoir bouger ; ont sauté à la mer ; appareillé de Tripoli ; femmes enceintes ; trafic ; vers 7 heures du matin ; l'incendie ; ont fait chavirer le navire ; porter secours ; naufrage ; fuyant l'insécurité qui règne en Somalie et la dictature érythréenne ; fuel.

Le café brûle dans ma gorge serrée. La dernière fois que j'ai vu *Le Guépard*, c'était au Reflet Médicis, rue Champollion. *Il Gattopardo*. Copie neuve. Le chef-d'œuvre, la palme d'or 1963 – dans quatre ans je vais naître. Je m'étais décidée au dernier moment, par raccroc, afin d'étirer la journée, et peut-être de la clore en parachevant sa forme – une forme d'outre, des heures compactes agglomérées en une seule séquence de travail. J'ai tourbillonné dans l'escalier de service, suis sortie manteau ouvert, le cheveu sec et la peau tendue par le chauffage électrique poussé à fond depuis le matin, puis j'ai descendu la rue des Tournelles jusqu'à la rue Saint-Antoine avant d'atteindre la place de la Bastille pour prendre le 86, un autobus bardé de rouge sur les flancs et au-dessus du pare-brise. Les feux étaient verts et dans le couloir qui lui était réservé, le long du boulevard Henri IV, l'autobus a roulé à vive allure, le sol et les vitres vibraient – on aurait pu croire le véhicule sur le point de se désarticuler. En moins de sept minutes j'atteignais l'extrémité de la rue des Écoles.

La restauration de la copie justifiait que le film ressorte comme une nouveauté : on le verrait comme on ne l'avait jamais vu, comme il n'avait jamais été montré. Une brochure en couleurs insistait sur le travail des experts techniques qui avaient œuvré à dépoussiérer, raviver, rafraîchir la pellicule. C'était le temps retrouvé : l'œuvre de Visconti mise au jour par des archéologues de laboratoires retrouvait une présence parmi nous. Je n'étais pas sensible à ce battage publicitaire, à ces arguments, les couleurs passées ne m'auraient pas gênée, pas plus que les voix qui attestaient l'époque, voix de canards légèrement raides et nasillardes – ces anachronismes qui désignent et matérialisent le temps qui a passé me touchent – ; je voulais seulement revoir le film, pouvoir donner à ce lundi de printemps son tombé parfait avant qu'il plonge dans la nuit.

La salle était pratiquement déserte. Y flottait l'odeur spécifique des cinémas de quartier, odeur qui n'est pas celle des multiplex justement, pas celle du pop-corn et des sucres gélifiés, qui n'est pas celle des chamallows rose poudré, mais celle, humaine, de l'émotion ou de l'ennui, un précipité de velours synthétique, de larmes et de transpiration. J'ai choisi un siège au troisième rang, très proche de l'écran, afin d'être collée au film, afin d'être prise dans l'image, raptée.

Alors ce fut le noir et j'ai regardé de nouveau *Le Guépard.* J'ai reconnu les lieux. J'ai revu la Sicile immobile. Les palais, les salons immenses et les enfilades de chambres vides, les combles devenus trop vastes, les terrasses et les jardins, la campagne brûlée. J'ai retrouvé le baroque délabré, les façades qui pèlent, les murs qui tombent en lambeaux comme si le temps de la mue était venu et que la peau d'avant chutait au sol afin de faire voir la nouvelle ; j'ai scruté la décrépitude qui signe la lente dépose du temps tout autant que le manque d'argent, le manque de force ; j'ai plissé les yeux sur les champs en pente douce, leur ondulation infinie, sur les oliviers vert-de-gris et les chemins de terre où cahotent les voitures à cheval, sur l'aridité et la poussière, sur les têtes des femmes doucement secouées sous les ombrelles noires, accablées de chaleur, regards perdus dans le paysage, sur cet effritement de tout ; j'ai entendu de nouveau les aboiements du chien préféré et le rire d'Angelica lors du dîner à la table du prince, ce rire de gorge, excessif et sexuel, d'une durée obscène, ce rire qui pulvérisait la bienséance d'une société pétrifiée, cassait l'ordre social comme un son trop aigu brise un verre de cristal, un rire en forme d'exécution.

Et aussi, j'ai revu le bal. La grande scène du bal chez les Ponteleone. Et cette nuit-là je l'ai vue différente, à la fois plus radicale et plus cruelle. D'une forme tendue là où je n'avais vu auparavant qu'une méditation sur la nostalgie, un travelling d'une longueur fastueuse et dépressive. J'y ai découvert sa violence paradoxale : convertir une ouverture en fermeture, un avènement en chute, réformer un appel d'air en asphyxie générale. Ou comment une scène d'intronisation, celle d'Angelica dans la haute société palermitaine – elle est la fille si belle de Don Calogero, le paysan parvenu, et tout juste fiancée à Tancredi le neveu chéri du prince, elle est ce corps qui illumine et contamine l'assemblée, ce corps qui prend le pouvoir, et enfin, elle est l'étrangère –, se métamorphose inéluctablement en scène de crépuscule, en description quasi anatomique d'un monde qui sombre. Le bal déploie une danse macabre, ritualisée comme une mise à mort, lente manœuvre d'encerclement qui peu à peu finit par asphyxier son objet, et le prince, d'ailleurs, semble pris de nausées au spectacle de cette noblesse rongée par l'endogamie, corrodée par sa propre vacuité, par la vanité de son existence, il suffoque, étouffe, la fatigue pèse sur ses épaules : c'est physiquement que se manifestent en lui la présence de la mort et la fin d'un temps. Aussi cherchant de l'air et du silence, fuyant la foule des invités, se réfugie-t-il dans la bibliothèque où un tableau de Greuze le renvoie à la vision de sa propre fin, comme s'il n'était aucune issue possible à ce bal, hormis la main d'Angelica qui l'invite à danser, cette chair saine, neuve, pleine.

Par sa durée affolante, étirée à l'extrême, la séquence du bal tend à faire craquer la structure du film dont elle occupe le tiers final, ou plutôt déséquilibre l'œuvre vers sa fin, comme la charge d'un navire, excessive ou mal arrimée, le retourne. De fait, tout ici est question de gravité, de pesanteur, de lourdeur, de surcharge, d'écœurement voire de putréfaction – image saturée de décors époustouflants intégrant tableaux et objets authentiques prêtés lors du tournage par des familles nobles de Palerme, foisonnement des costumes chamarrés, crinolines gonflées, candélabres et bougies allumées, luxuriance des plantes et des fleurs, éclats aveuglants des lustres à pampilles, des verres, de l'argenterie, des bijoux – si bien que le bal ploie sur lui-même, s'infléchit dans une torsion douloureuse dont la valse du prince et d'Angelica est à la fois le moteur et l'horizon. Épicentre éclatant de la fête, le couple, immiscé dans la foule des invités, progressivement s'en détache et prend place, fait le vide autour de lui, focalisant les regards de ceux qui se sont peu à peu figés pour le contempler, devenant dès lors les spectateurs de leur fin. Puisque tout ici manifeste que cette valse est la dernière de son espèce, qu'elle est exactement ce que l'on nomme le chant du cygne.

Je suis ressortie du cinéma dans la nuit. Sonnée. Je me suis demandé si le nouveau regard que je portais sur le film tenait à sa restauration, justement, à ses couleurs revivifiées, à ses contours plus nets, à sa charge plus tranchante, à rebours du vintage des années 1960. J'ai descendu d'un pas rapide le boulevard Saint-Michel désert en direction de la Seine, absolument mate, et pile à l'instant où j'allais passer le fleuve et couper par le parvis de Notre-Dame, j'ai réalisé que Visconti avait filmé le bal du *Guépard* exactement comme un naufrage.

à ce stade de la nuit le visage de Burt Lancaster tend à s'effacer, et je veux fumer. Une cigarette, il m'en faut une. Il y en a dans l'appartement, je le sais. Pour autant, je ne veux pas m'éloigner de la cuisine où se relaient en un continuum catastrophé les réactions internationales, crescendo de voix politiques parmi lesquelles celle du président du Parlement européen, celle du président de la commission du sénat pour les droits de l'homme, celle de la ministre de l'Intégration : *dramma senza precedenti ; uno prima ed uno dopo ; esprimiamo la nostra tristezza e la nostra solidarietà*. Des voix italiennes, métalliques, saturées de sentiments, vibrent sous celles, plates, des interprètes. Elles enchâssent Lampedusa dans sa langue d'origine où je le repère facilement – il est étrange de voir à quel point le nom propre est indifférent à la phrase où il se place et roule entre les mots comme un caillou qui, pourtant, propagerait sa poésie.

Burt Lancaster est maintenant recouvert d'une autre strate de signes : neuf lettres dont deux identiques. Ou plutôt Lampedusa, quand je le vois, quand je le prononce à voix haute, cesse d'appeler uniquement un visage pour convoquer quatre mots qui forment un nom sur la couverture d'un livre : Giuseppe Tomasi di Lampedusa.

J'explore ce nom, j'en fais le tour, je le soupèse et le décompose, j'y entends in fine ce toponyme, ces quatre syllabes qui font surgir un espace, catalysent le soleil et l'histoire, le sec, la poudre, la guerre, l'or et le rouge, le délabrement, quelque chose d'archaïque et de langoureux. Ce nom qui est déjà un récit. Je découvre qu'il désigne, entre autres choses et titres de noblesse, le onzième prince de Lampedusa. Il me fait voir un périmètre aux contours circonscrits, une terre envisagée comme origine et comme fief, sans que je sache pourtant si c'est l'île – Lampedusa – qui appartient à l'homme, ou l'homme – Giuseppe Tomasi – qui lui appartient. Je creuse autour de ce petit *de* qui articule l'ensemble, je veux comprendre ce qu'il signifie, perçois soudain le mouvement qu'il déploie, et alors un homme apparaît, Giuseppe Tomasi *di* Lampedusa, autrement dit un homme issu, surgi, venu de cette île.

Giuseppe Tomasi di Lampedusa est l'auteur d'un seul roman, *Le Guépard*, publié à titre posthume, en 1958 – ce livre devenu ce film mythique.

Ce que l'on peut savoir de lui tient à la description ample et précise qu'il donne de l'aristocratie sicilienne à travers celle de la famille du prince Salina, famille dont la puissance est fondée sur le foncier, où l'on vit de l'exploitation et de la rente des domaines – cette famille qui figure la sienne. Solitaire, lettré, auteur d'essais littéraires sur Flaubert, Stendhal, Byron, et professeur de littérature, Giuseppe Tomasi pensa de longues années au *Guépard*, l'écrivit au milieu des années 1950 pour l'achever en 1956, peu avant sa mort. Autobiographie d'une famille, ce roman saisit le « moment » d'un homme et des siens, tisse ensemble livre politique, fresque sociale et méditation sur le temps. Il est porté par le regard du prince Salina, dont l'auteur jugeait superflu de préciser qu'il était son arrière-grand-père : Giulio Fabrizio Tomasi di Lampedusa.

Lampedusa / Salina. Salina / Lampedusa.

Je pose côte à côte ces deux noms qui désignent un même homme, prolongent un même prénom, Fabrizio. J'essaie d'intercepter ce qui circule entre eux, ces allées et venues, cette boucle tournoyante du sens. Ou comment le nom réel appelle et se déporte dans le nom fictionnel, migre de l'état civil au roman, du registre historique des titres de noblesse à celui de la littérature ; ou comment le nom fictionnel peut ressaisir le nom réel. Je tremble de plaisir et frotte mes paumes l'une contre l'autre quand je me souviens que Salina est aussi un toponyme, désigne aussi une île de Méditerranée, celle-ci non pas située au sud de la Sicile comme Lampedusa, mais au nord, dans un autre archipel, celui des îles éoliennes : deux noms pour deux îles. D'un nom à l'autre, d'une île à l'autre, la migration se poursuit.

à ce stade de la nuit, je remue les mains au fond d'un tiroir, je tâtonne dans le fatras, agrégat d'objets au rebut qui archive le quotidien de l'appartement, j'entrechoque boutons, feutres secs, débris de Playmobil, échantillons de crème adoucissante, sachets de sucre ramassés au café, cuiller ancienne, billes, chewing-gums, téléphone portable sans vie, paquet de Kleenex, et puis des centimes d'euro, des cents de dollars et de livres sterling, des photos d'identité tachées sur lesquelles je m'attarde, enfin une cigarette fripée mais pas de boîte d'allumettes si bien que je vais ouvrir le gaz à la cuisinière et me penche clope au bec vers le feu bleuté, je retiens mes cheveux, j'allume ma tige. Vapes.

Je songe maintenant à ces noms propres qui sont des toponymes, à ces anthroponymes qui désignent des lieux, à ces villes qui s'appellent Athènes ou Lisbonne sous différentes latitudes, à ces personnages qui se nomment Quichotte ou Gargantua, Guermantes ou Meaulnes, je pense au Havre et à Bouville, à la route des Flandres et à Ellis Island, aux Cards et à Lascaux, à la mer des Sargasses, je prononce lac Baïkal et Wyoming, je prononce Sahara et cap Horn, et encore détroit de Gibraltar et delta du Mékong, je murmure Grandes Jorasses, Guadalquivir et Loire, Liège-Bastone-Liège, je murmure Zanzibar, Endoume, Kamtchatka, et encore mont Aigoual, plateau des Millevaches, massif des Maures, je chuchote Forêt Noire, Épeluche et Les Fougères, les noms se bousculent, ils vibrent et prolifèrent, et parmi eux, sur une route des Landes, dans l'été qui bourdonne, ce panneau rectangulaire liseré de rouge et ces lettres noires inscrivant MAYLIS sur un fond blanc, ou cet autre, photographié en novembre, en Finistère, signalant KERANGALL sous un ciel noir.

Je pense à ces noms inscrits dans les paysages et je pense aux paysages véhiculés dans les noms.

Soudain je me suis demandé comment les hommes avaient déposé les noms sur la Terre – des goélettes usées abordent les rivages, l'ancre est jetée dans une crique sablonneuse au-delà de laquelle vibre une forêt close, les canots sont mis à l'eau et des types affamés s'y bousculent, hébétés d'émotions contraires, terrorisés quand soulagés d'être de retour vivants sur la terre ferme, silencieux devant la *terra incognita* qui s'étire devant eux en ce jour de l'an de grâce 1492 quand excités par l'or promis au terme de la course ; ils ont la gale, le scorbut, des poux jusque dans les sourcils, et leurs vêtements raides de crasse sont bouffés de vermine, leur sexe les démange, ils sont scrofuleux et se grattent jusqu'au sang, des charognes, ils ont perdu des dents ; les canots tanguent et les hommes salivent, quand le fond de l'esquif touche la plage, ils enjambent le bordé et plongent un pied dans la mer de l'eau jusqu'à mi-cuisse, puis l'autre, le canot est déséquilibré, éclaboussures, cris, certains chutent, se relèvent et retombent en arrière, trempés, le sel corrodant déjà le fer de leur cuirasse, puisqu'ils sont casqués, armés, et lourdement bardés, ils avancent sur le sable et y tombent à genoux, se signent, tandis qu'un prêtre décharné flottant dans une loque de surplis, la chasuble en poussière mais le regard en feu, brandit un crucifix à bout de bras vers le ciel, dévoilant des poignets blêmes aussi maigres que ceux d'une fillette, et baptisant le sol il prononce le nom, c'est l'acte de conquête, la prise de possession d'un sol, d'une terre que l'on offre à Dieu, au roi, à l'Église, la conquête d'un territoire que l'on réinitialise, et les noms qui s'y trouvent y seront écrasés, on les concrétionnera, on les recouvrira, si bien qu'ils s'effaceront de la surface du sol mais continueront de hanter l'espace, et ceux qui observent les nouveaux venus, ceux-là tapis dans le sous-bois, ceux-là chuchotant dans leur langue le visage déformé par l'étonnement, ceux-là se nommant Petit torrent ou Cheval volant dans la plaine, Rocher de feu ou Colline bombée comme un sein de jeune fille, ceux-là retiennent leur souffle, maintenant s'affolent et se transmettent les noms, tous les noms de leur terre –, je me suis demandé dans quel réservoir les hommes avaient puisé les sons et les signes qui marquaient, bornaient, identifiaient, localisaient des points sur le territoire, comment ils avaient inventé des mots suggérant parfois autre chose qu'eux-mêmes, des histoires, un émerveillement, ou plutôt une domination, une exploitation, une violence politique. J'ai pensé aux fantômes qui logeaient dans les noms, et je me suis demandé comment les entendre, comment les percevoir.

La nuit s'est creusée comme une vasque et l'espace de la cuisine se met à respirer derrière un voile fibreux. J'ai pensé à la matière silencieuse qui s'échappe des noms, à ce qu'ils écrivent à l'encre invisible. À voix haute, le dos bien droit, redressée sur ma chaise et les mains bien à plat sur la table – et sûrement ridicule en cet instant pour qui m'aurait surprise, solennelle, empruntée –, je prononce doucement : Lampedusa.

à ce stade de la nuit, j'ai l'impression que tout ce qui m'entoure dans la cuisine – meubles, ustensiles en inox, peaux vernies des agrumes dans la coupe, cristaux de sel dans le bol, faïences, café laqué dans la tasse, carrelage quadrillant le sol, fenêtre encadrant la rue – est trempé de métal, un métal précieux et intelligent, tout possède des contours d'une précision ciselée, quelque chose se met en branle, un mouvement, bouge lentement, s'anime et m'éblouit. Paupières.

J'ai lu *Le Chant des pistes* de Bruce Chatwin alors que je traversais la Sibérie en train – avril, débâcle. Son titre, si beau, jouait comme un précipité de voix et d'espaces, il émettait au fond de mon sac quelque chose de brûlant et de solaire, poussiéreux. Emportée sur les rails à travers la taïga verticale, je découvrais au fil des jours l'existence des *songlines*, celles des aborigènes australiens.

Le train roulait à 50 kilomètres / heure dans un froid de verre, les chants se levaient, murmurés puis affermis, de plus en plus nets, et j'ai prêté l'oreille pour les entendre : ils décrivaient un sol, déroulaient des chemins parcourus à pied. Reliefs, collines et causses, falaises et déserts, rivières, animaux, plantes, rochers, ils établissaient, depuis le terrain même, la carte orale d'un parcours terrestre quand chaque *songline* réinvestissait aussi un fragment du grand récit cosmogonique : à l'origine du monde, un ancêtre créa la piste, engendrant toute chose en chantant son nom, si bien qu'aujourd'hui l'aborigène qui emprunte de nouveau ce chemin, et chante, renoue-t-il avec son origine tout autant qu'il recrée le monde. Chaque phrase musicale d'une *songline* fait ainsi voir un segment de sentier, chaque élément du paysage ressaisit un épisode de la vie de l'ancêtre, un moment de l'histoire d'un groupe humain – je me suis demandé si les alliances entre clans aborigènes augmentaient la longueur des chants, si elles allongeaient les pistes, élargissaient le périmètre mnésique, agrandissaient l'espace, ou si au contraire elles créaient des bifurcations, de nouvelles routes ; je souriais.

Le train égrenait des gares dépeuplées sans jamais dévier de sa trajectoire et je tanguais sur ma couchette tandis que des voix mixtes se mélangeaient dans l'étroit corridor qui traversait la voiture – exclamations, cris, rires. Deux rennes esseulés se sont soudain montrés au bord d'un cours d'eau, désignant à eux seuls la faune des bois, le règne animal, ils étaient indifférents au passage du train, gris moucheté contre la lisière, et bougeaient lentement. Cils. Je me suis redressée d'un coup, enfonçant le coin de mon front dans la vitre, cherchant à trouver le meilleur angle de vue pour les conserver longtemps dans mon regard – peut-être aurais-je perçu le grondement de la harde invisible si j'étais parvenue à baisser la vitre du compartiment.

La lecture finie, j'ai regardé le paysage. Forêt en majesté, monotonie hypnotique. Le train filait à vitesse constante tandis que mon regard décelait une à une les trouées innombrables entre les fûts dorés, ces éclaircies entre les arbres. Malgré la lumière stroboscopique qui zébrait le compartiment, je captais une profondeur de champ, quelque chose qui se densifiait au fond des bois, quelque chose d'épais et d'inconnu. Le soir est tombé lentement. La fenêtre s'assombrissant a reflété comme un miroir le décor de la cabine, les petits rideaux et les menus objets saisis hors des valises, les bouteilles d'eau en plastique, les couvertures pelliculées des magazines et des livres, et puis moi – visage éclairé par l'ampoule au plafond, cavités oculaires sombres et joues creusées, mais front, pommettes et arête du nez éclaboussés de lumière.

Plus tard, bercée, je me suis endormie et j'ai rêvé sur ces *songlines* qui résorbent l'ADN d'un clan, jouant comme des noms propres : ligne de chant figurant un parcours terrestre, récit mythique ou poème de remémoration, ces psalmodies cartographiques décrivent une identité. Appartenir au clan, c'est connaître et transmettre le chant de l'ancêtre, c'est actualiser et léguer la mémoire d'un parcours singulier ; appartenir au clan, c'est chanter son paysage. Cette nuit-là, surexcitée, j'ai imaginé que les *songlines* aborigènes, une fois rassemblées, composaient une représentation quasi intégrale de l'espace australien et servaient de topo-guide à quiconque désirait le pénétrer, et s'y déplacer ; j'ai visualisé les parcours innombrables qui s'entrecroisaient à la surface de la terre, ce maillage choral déployé sur tous les continents, instaurant des identités mouvantes comme des flux, et un rapport au monde conçu non plus en termes de possession mais en termes de mouvement, de déplacement, de trajectoire, autrement dit en termes d'expérience. J'ai divagué sur un chant qui décrirait, énumérerait, ramasserait toutes les *songlines* en une seule forme, ce chant du monde.

Les derniers jours, alors que j'avais perdu tout repère, alors que le temps et l'espace autour de moi s'étaient dissous, alors que le train traversait des fleuves larges et des ponts métalliques sonores, bien boulonnées, afin d'aller toucher les rives du Pacifique, j'ai vu le roman dans la *songline*. Il était là, tapi dans la tradition orale, pulsait dans ce mouvement, dans ce chant qui relançait la mémoire, les mythes et les dieux. Pour écrire, j'ai pensé qu'il fallait capter ce chant qui subsistait d'un temps où le livre n'existait que sous sa forme chantée et je me suis dit qu'il était temps d'aller chercher la femme nomade.

à ce stade de la nuit, j'ai des fourmis dans les jambes et me lève pour sautiller, m'étirer, aller ouvrir la fenêtre de la cuisine et me pencher dans la rue – nuit de cuir, auréoles jaunes des lampadaires, halos blanchâtres derrière les fenêtres.

Je fixe le bout de la rue, son extrémité qui va s'étrécissant jusqu'au boulevard Voltaire : si je prolonge cette voie sur son axe, en ligne droite, elle franchira la Seine à hauteur de Charenton-le-Pont, puis touchera sans doute Ivry-sur-Seine, Orly, Draveil, Villeneuve-Saint-Georges, Ouzouer-sur-Trézée, Sancerre, Montmarault, Clermont-Ferrand, Brioude, Florac, Concoule, La Grand-Combe, Anduze, Vauvert, Saintes-

Maries-de-la-Mer, et puis la mer justement, celle-là bleue et impulsive, au beau milieu de quoi flottent les îles.

J'ai accosté à Stromboli pour la première fois à 5 heures un jeudi d'août, en 1994. J'avais embarqué depuis Naples sur un paquebot de la Sirenmar et je me souviens être sortie sur le pont une demi-heure avant l'arrivée prévue sur l'île, première escale d'une route maritime qui distribue tout l'archipel – Panarea, Salina, Lipari, Vulcano, Alicudi, Filicudi.

L'air est humide, le bastingage poisse contre mes paumes et je frissonne dans mon tee-shirt, la matière de l'air est un bleu de pénombre, propice aux ambiguïtés, d'un grain poudré comme le sont les photographies prises sur film argentique hautement sensible – du 400 ASA au moins –, des pellicules qui autorisent les prises de vue en basse lumière mais augmentent la granulation de l'image, diminuent sa résolution, si bien que ce qui m'entoure est comme pris dans ce filtre. Ce qui se passe ensuite tient de l'événement puisqu'un paysage se crée dans le double mouvement du bateau qui s'approche et de la nuit qui s'éclaire, puisque bientôt une forme déchire l'horizon, c'est un triangle quasi isocèle, carbone, il flotte dans un espace indéterminé – liquide, solide, gazeux, on ne sait pas – mais sa base est parallèle à ce qui doit être la surface de l'eau, la mer et le ciel tissant ici une même substance qui se délave à vue d'œil, un espace corpusculaire, une sensation de mauve, de parme, le toucher visuel d'une dragée de baptême, c'est elle, c'est lui, l'île, le volcan, et tout à coup ça se précise, le paysage s'arrache du flou où la distance et la nuit le tenaient au secret, il se libère, et construit tout l'espace en retour, les lignes et les masses, les échelles et les profondeurs de champ, les valeurs de couleurs dans la lumière limpide; je distingue maintenant la fumerolle soufrée, grisâtre, qui embrouille le sommet du volcan – il a pris de la hauteur comme si une main invisible le pinçait par le haut –, la trace de la coulée de pâte basaltique, j'escorte du regard ses pentes ténébreuses, les marques visibles des anciennes cultures en restanques surlignant le village, les habitations endormies étirées sur un tiers du cône volcanique, bougainvilliers en fleur, citrons dans les arbres, maillots de bain qui sèchent, barques de pêcheurs couchées sur le sable noir puis ce sont bientôt des silhouettes humaines qui inscrivent du mouvement, des types barbus la peau tannée les pieds chaussés de slaps, la tignasse dorée bouffant sous la casquette et les yeux clairs; ils attendent le bateau puis lancent ces lourds cordages qui débouclent dans l'air, lassos, leurs gestes sont splendides, ils battent le rappel de tous les lamaneurs et de tous les bateaux, ils remémorent, ils fendent la continuité du temps pour faire affleurer dans leurs mouvements la mémoire de l'île, et ils le font dans le présent de l'instant; quand je pose pied sur le môle de béton, j'ai le souffle court, mon cœur bat la chamade, et je me souviens précisément de ce moment, il est dans ma mémoire comme une scène inaugurale.

Depuis, je suis souvent retournée à Stromboli. Je traîne alors dans l'archipel, je passe à Lipari, je reviens à Salina – la baie de Pollara, les carrières de pierre ponce, les câpres et le vin. Petites migrations bouclées sur une journée, parfois deux. Quand je quitte l'île à la fin du séjour quelque chose me déchire, une forme de nostalgie, et quand j'y reviens, j'ai le sentiment de rallier un lieu qui est le mien, où je suis chez moi quand pourtant j'y suis une étrangère – qui est peut-être le mien précisément parce que j'y suis arrivée comme une étrangère, exactement comme j'arrive dans un livre. J'aime la fatalité sensuelle de Stromboli, son activité explosive et sa torpeur, son aura à la fois mythique et païenne, ce tempérament propre aux îles volcaniques de Méditerranée, toutes îles arides et animales, mélancoliques, émergées à la convergence des plaques tectoniques africaines et eurasiennes, aux confins de ces zones où elles se frottent, créant des étincelles, projetées hors de failles, des îles où l'on compte les étoiles filantes dans la nuit indigo tandis que la terre tremble, ces îles archaïques, mais peut-être aussi que j'aime Stromboli par l'empreinte si forte de sa première apparition – j'y tenais un enfant dans les bras, j'y venais attendre un homme qui m'avait fait une promesse.

Je visualise la substance mnésique ici déposée – pollen, toucher, souffle –, nappe les reliefs, les pays, les territoires, tous ces espaces que nous éprouvons, je feuillette cette stratigraphie invisible qui les forme et les déforme, qui les décompose et les recompose, à la fois dans le temps et dans l'instant – j'appelle la leçon inaugurale que Gilles Clément a prononcée lors de son entrée au Collège de France en 2011, où le paysage se définit à la fois en termes d'expérience physique et en termes de mémoire : « Le paysage, selon moi, désigne ce qui se trouve sous l'étendue de notre regard. Pour les non-voyants, il s'agit de ce qui se trouve sous l'étendue de tous les autres sens. À la question : qu'est-ce que le paysage ? nous pouvons répondre : ce que nous gardons en mémoire après avoir cessé de regarder ; ce que nous gardons en mémoire après avoir cessé d'exercer nos sens au sein d'un espace investi par le corps. »

À cet instant, les pans de la fenêtre se rabattent avec fracas, ça claque, les vitres tremblent et j'ai peur qu'elles se brisent : un courant d'air brutal et mystérieux, issu de la rue, transforme la cuisine en chambre d'écho. Je referme la fenêtre, les vitres se calment, bientôt le silence se reforme, aussi épais et dense qu'il l'était un instant plus tôt mais épaissi d'une résonance. J'écoute la vibration. J'aime l'idée que l'expérience de la mémoire, autrement dit l'*action* de se remémorer, transforme les lieux en paysage, métamorphose les espaces illisibles en récit.

à ce stade de la nuit, je sors dans le couloir pour aller me placer devant des piles de livres en appui contre le mur – je laisse cependant toutes les portes ouvertes, les jingles du *Flash spécial catastrophe de Lampedusa* bruitent à intervalles réguliers comme des sonneries d'ascenseur –, je baisse la tête pour déchiffrer les dos des ouvrages, je m'accroupis, soulève, retourne, je déplace, divise, de nouveau empile, ça s'écroule – je cherche un de mes livres, *Ni fleurs ni couronnes*, recueil composé de deux nouvelles qui chacune situe une île, l'Irlande et Stromboli – je relève les tas, les livres migrent d'une pile à l'autre, je les distribue selon la taille, l'épaisseur des volumes et la couleur de la tranche, j'opère à toute vitesse, à l'instinct, tout bouge et se réorganise, je suis maintenant agenouillée sur le plancher et maçonne à la volée un nouveau mur de livres sans en omettre un seul. Après quoi, en nage, je me recule contre le mur du couloir, et je regarde : dans la pénombre, les colonnes de livres grimpent comme des plantes, comme des cariatides, elles silhouettent une forêt d'un noir cassis, puissante et pulsatile, un temple hanté de fantômes et de chants.

Je me dis parfois qu'écrire c'est instaurer un paysage. Les îles, et plus encore les îles désertes, sont pour cela des matériaux de haute volée, leur statut géologique amorçant déjà une écriture, portant un récit. Essaimées sur la mer, les îles surgissent comme des creusets à fictions, ou des aimants dispersés sur l'imaginaire. Elles émergent soudain, formes finies au milieu de l'infini, formes dont on peut saisir les contours et que l'on peut tenir dans un seul geste, comme on tient un caillou dans son poing, comme on cadre une image dans l'objectif de l'appareil photo, c'est un espace clair qui impose ses contours, créant aussitôt un dedans et un dehors : les îles sont comme des idées. Désertes, elles fascinent. Opèrent comme des réserves, captent les histoires et abritent les hommes depuis la création du premier poème. Hébergent les évadés, les meurtriers, les généraux mégalomanes, les capitaines visionnaires, les acteurs misanthropes, et les milliardaires naturistes, piègent les malades en quarantaine, les enfants rebelles, les bagnards et les réfractaires de toute sorte, les peintres hallucinés, les reines mélancoliques, et tous ceux que la société renvoie à la mer. Hétérotopies, elles sont des espaces différents, « ces autres lieux [faits d']une espèce de contestation à la fois mythique et réelle de l'espace où nous vivons », écrit Michel Foucault.

On y échoue par le chant des sirènes, à l'issue d'une tempête qui aura éclaté la coque du navire, après s'être évadé d'un bâtiment ennemi où l'on était tenu aux fers dans la soute, après que le paquebot a sombré torpillé par un sous-marin allemand, ou qu'il a échoué lors d'une manœuvre inattentive – le vendredi 13 janvier 2012, le *Costa Concordia* se couche devant l'île du Giglio : on raconte que le capitaine flirtait –, après avoir plongé depuis un voilier pour suivre un poisson multicolore qui aurait fui vers les coraux, après avoir perdu son cap, par hasard. On y achoppe après avoir été embarqué de force avec d'autres mêmement terrorisés, dépouillés, violés, battus, soumis, bousculés, le canon d'une mitraillette rouillée balayant le fond d'un chalutier beaucoup trop petit pour cette charge humaine, et qui jamais ne parviendra au port ; on aura nagé pendant des heures, flotté parfois plusieurs jours accroché à une poutre, ou finalement lâché prise, et d'épuisement confié son corps à la vague ; on aura gémi sur le dos, les yeux clos et les vêtements déchirés, ou bien nu comme au premier jour et inconscient de l'être jusqu'à ce qu'une bergère passe par là, décidant sur-le-champ de pratiquer l'hospitalité, jusqu'à ce qu'une reine ouvre sa couche ; plus tard on s'y réveille, on y survit, on est comme dans un rêve, parfois on y recrée le monde, le feu et la forge, la chasse et la cueillette, on y repense la politique, le régime de pouvoir et de propriété, on y recense tout ce qui pousse, on identifie, on classe et parfois même on dessine avec des pigments naturels dilués dans une calebasse, on est seul, on pleure et on se branle un peu, on rencontre parfois une autre créature humaine, un monstre, des êtres anthropophages, des Indiens et des perroquets qui chantent *La Barcarolle* ; un jour un flash et l'on se souvient d'une carte au trésor vue dans une autre vie – la vie continentale – on la reconstitue, on voudrait faire fortune sans plus savoir pourquoi, on pense à sa femme, à son père, à son fils, on s'obsède d'un amant parti en mer, on s'appelle par exemple Ulysse, Jim Hawkins et Long John Silver, Robinson Crusoé, Vendredi, Sarah Woodruff, Theodora Dawn, et il arrive aussi que l'on se nomme Calypso, Napoléon, Capitaine Nemo, Edmond Dantès, Marlon Brando, Finbarr Peary, Adèle H. ou Antonia.

Soudain une voix comme une boule de feu affole la cuisine, elle est archaïque et déplacée, *vergogna, vergogna!* Elle demande au monde entier de venir voir, de venir voir ce qui se passe ici, à Lampedusa. Pile à cet instant, j'ai décidé de quitter la pièce.

à ce stade de la nuit, la mappemonde chauffe doucement dans la chambre, une ampoule de faible voltage l'éclaire de l'intérieur – analogue au noyau interne qui concentre l'énergie du feu sous les différents manteaux de la croûte terrestre –, je me suis approchée : c'est une sphère de verre recouverte d'une fine couche de papier saturé de signes, de formes et de couleurs. Un carroyage de lignes tracées à la pointe sèche y tisse des repères, des centaines de noms l'animent, s'y chevauchent, majuscules old style ou italiques cursives, un codage typographique étalonnant leur importance et désignant leur emboîtement possible – continent, océan, pays, mers, fleuves, capitales, chaînes de montagnes et sommets célèbres, déserts, villes –; des noms parfois si longs, si étirés, que la dernière lettre migre à des centaines de kilomètres de la première.

De Paris qu'il a ciblé illico, mon regard a dévalé vers le sud par ricochet, touchant successivement Méditerranée, Naples, Etna, Sicile, après quoi il a freiné sur un espace bleu, translucide, a balisé la zone – sa forme irrégulière, ses contours de flaque –, et je me suis penchée un peu plus, me suis penchée afin de voir si les éponges dorées que l'on pêche dans la zone tapissaient le fond de la mer, si les corps des plongeurs se déformaient sous la surface de l'eau. J'ai localisé un point microscopique, une pastille indifférente aux continents dont j'ai déchiffré les neuf lettres, pâles, ténues : LAMPEDUSA.

C'est l'un des points les plus méridionaux de l'Europe, à même latitude que Chypre et Malte, ou presque. J'ai voulu voir si l'île était plus proche de la Tunisie ou de la Sicile à quoi l'on rattache l'archipel des Pélages auquel elle appartient – Lampedusa, Linosa et Lampione, trio de sœurs dispersées – et, manière de calculer les distances, j'ai placé le pouce et l'index en compas sur le globe – mon pouce posé à la verticale et prenant appui sur Lampedusa. Mais les bouts de mes doigts occupaient grossièrement la surface et j'ai fini par me brûler les pulpes. Alors j'ai fait un pas en arrière pour situer l'île, établir sa position dans l'espace, sans la lâcher des yeux – elle était si petite : un seul clignement de paupière et hop, elle aurait disparu, effacée, engloutie – et j'ai vérifié ce qui est visible à l'œil nu : Lampedusa est seule au monde.

La nuit avance. Je suis maintenant rivée à l'île de Lampedusa comme on s'obsède d'une poussière sur une feuille vierge. J'ai le sentiment qu'elle existe comme un lieu dans un non-lieu, émergée caillou inaltérable contre l'espace liquide, terre précisée contre la mer floue où s'abolit le temps et la topographie – il fallut longtemps en appeler au ciel pour déterminer une route, un alignement d'étoiles signant une direction –, toponyme imprimé au sein d'une zone vierge, sans inscription autre que le sillage des bateaux, la crête blanche des vagues quand ça moutonne, les empreintes d'oiseaux – pattes, becs, ailes – quand ils éraflent la surface pour choper un poisson, et tout ce que le ciel reflète par beau temps quand la mer est d'huile, étale comme un miroir : nuages, avions, escadrilles de mouettes.

Tout se passe comme si en Lampedusa, minuscule et ramassée, s'exprimait une résistance à l'indétermination qui la cerne.

Mais la mer n'est pas un non-lieu, pas plus qu'elle est un espace indéterminé, une continuité fluide – c'est une chose que tu devrais savoir non ? aurait dit mon père, moqueur ou agacé – : en elle coexistent des zones diverses, de l'estran familier au gouffre de l'inconnu – grève, bande des rouleaux, mer côtière, mer libre et grand large –, en elle cohabitent différents espaces régis par le droit maritime – mer territoriale, zone contiguë, zone économique exclusive, plateaux continentaux, haute mer.

Elle aussi est traversée de traces en pointillé

gras ou maigre, courants océaniques de surface provoqués par les vents, ou déplacements en profondeur activés selon la température, la densité, la salinité de la mer, mouvements qui tous reconstruisent une topographie ; elle aussi est tapissée de grottes, relevée de volcans, balisée de hauts-fonds et ponctuée de fosses sous-marines – la fosse des Mariannes, ou celle des Tonga qui forent parfois à plus de 10 000 mètres de profondeur, la fosse Calypso, qui plonge à 5 121 mètres en mer Ionienne – ; elle aussi est parcourue de voies, rails de navigation ou autoroutes maritimes sur quoi trafiquent des flux de vracs, secs et liquides – pétrole brut, produits pétroliers, gaz naturel liquéfié, minerai de fer, charbon, céréales –, sur quoi transitent les marins et les autres – ouvriers de la mer sur cargo battant pavillon panaméen, passagers de croisières musicales sur paquebot à étages, plaisanciers en embardées sabbatiques, fondus de la course au large –, sur quoi migrent les hommes depuis que la mer existe ; elle aussi ouvre de nouvelles routes à mesure que s'inventent de nouveaux trafics, qu'augmentent les échanges, que naissent les chantiers, que s'accroît la mondialisation, que s'exporte la main-d'œuvre – toutes sortes de mains pour toutes sortes d'œuvres, des pieds aussi, des pieds et des bras de gosses, des seins de fillettes, des épaules de jeune homme et des dos de femmes où dorment des nourrissons –, à mesure que s'intensifie la violence, que s'amplifie la pauvreté, que se répand la guerre; elle aussi est habitée d'épaves, peuplée de cadavres, hantée de fantômes.

Mon cœur accélère. Localisant Tripoli sur la côte libyenne, je trace un chemin vers Lampedusa. Treize mille migrants et demandeurs d'asile y ont abordé cette année. J'aperçois Malte à tribord et je me souviens subitement qu'un tiers des navires de commerce naviguant sur les mers du globe battent pavillon maltais: la zone est dangereuse.

à ce stade de la nuit, la radio délaye sa bande sonore et les voix se sont tues. Je suis de retour dans la cuisine où je tâtonne, en manque de données. Le flou du nombre des victimes est une violence révoltante, quand le désir de précision, à l'inverse, signe une éthique de l'attention – l'approximation fait voir la paresse, désigne vaguement l'innombrable, la multitude, la foule, les pauvres, tout ce qui grouille et qui a faim, tout ce qui fuit sa terre. Je module le bouton sur la radio afin de glisser d'une station à une autre et d'en apprendre davantage. Autour de 350, plus de 350, au moins 350 – on n'aura pas encore repêché tous les corps, on attend de savoir, et sans doute que dénombrer ceux qui ont survécu, 166, ne permet pas encore de déterminer le nombre exact de ceux qui se trouvaient sur le bateau, sans doute qu'il n'est pas de soustraction possible puisqu'il n'est pas de document, aucune écriture attestant le nombre de passagers embarqués à Tripoli, attestant leur nom et leur identité : au fond, il s'agit bien, pour l'heure, de la disparition d'un nombre indéterminé d'anonymes.

Heures nocturnes, lumière qui perle au bout des cils, fatigue extralucide, vitesse de la pensée : l'événement cristallise doucement, il instaure une scène qui se précise, tranchée, épouvantablement nette. J'ai distingué le sillage du rafiot sur la mer, sa trace mouvante à la surface de l'eau, l'incise, blanche puis pâle, dont la forme désignait une direction et une vitesse ; j'ai vu l'embarcation, un bateau de travail badigeonné de bleu et de jaune, un calfatage sommaire, les pièces de métal piquées de rouille, les vitres brouillées de sel et de projections séchées ; j'ai reconnu une cargaison humaine dans ce volume sombre, grelottant – aube sur la mer en octobre, humidité qui perle, vêtements imbibés de poisse marine, tièdes et glacés –; dans cette masse indistincte enflée dans les coursives étroites, sur les ponts, dans ce compactage de corps gris où seules bougeaient les têtes – elles dodelinaient, certains dormant debout, d'autres inclinant le menton sur la poitrine, sur l'épaule consentante d'un voisin –; j'ai distingué des yeux – légèrement globuleux, le blanc glaireux de l'œuf, bleuté, la pupille dilatée – et à partir d'eux, j'ai recomposé des visages possibles, des visages aux bouches fermées – la terreur, la fatigue, l'abrutissement –; j'ai écouté le bruit des moteurs, ce bourdonnement régulier mélangé à celui de la mer, fluide contre l'étrave, à celui de la radio du bord, j'ai senti l'essence – des auréoles noires et scintillantes qui prismaient les couleurs de l'arc-en-ciel. Soudain tout s'est déréglé, la rumeur s'est disloquée, un crachotement, un étouffement, et, quelques centaines de mètres plus loin, le bateau n'avançait plus, flottait, porté par le flux de la mer, par l'inertie des eaux, il dérivait;

j'ai contenu le chalutier dans mon regard jusqu'à ce que les remous s'atténuent à la poupe, se dissolvent progressivement dans le bleu de la mer – l'azur vertical – jusqu'à ce que la fin du mouvement signe la fin de tout. Une fumée, un nuage grisâtre, est montée dans le ciel comme un signal indien – un code, un langage – et peu à peu a tout effacé, a gommé l'espace où stagnait le bateau, l'incendie a éclaté tandis que des grains noirs commençaient à ponctuer la mer, pagaille de ploufs, cris, désordre – quand c'est lent un naufrage, c'est lent un bateau qui coule et dans le même temps incroyablement rapide, soudain il passe sous la surface des eaux, comme le soleil se couche, il disparaît, c'est là toute la singularité de l'événement, sa morbidité extrême –; j'ai pensé que les passagers avaient dû attendre, espérer des secours, certains sachant que le droit de la mer impose de venir en aide aux bateaux en détresse quand d'autres au contraire avaient dû s'affoler, informés des dernières dispositions des États en lutte contre l'immigration illégale, avertis qu'en ce qui les concerne le droit n'existait plus, justement, ils étaient hors la loi – des marins venus les sauver avaient été sanctionnés par des autorités inflexibles, soucieuses de la légalité et les pieds au sec –, et sans doute que d'autres se demandaient jusqu'où on les laisserait se noyer ; j'ai pensé enfin que la plupart des passagers ne devaient pas savoir nager, ayant vu la mer deux jours auparavant pour la première fois. Certains s'en étaient sortis, c'est vrai. Plus vigoureux que d'autres, en meilleure santé, ils avaient survécu. Et ceux de l'île, isolés et pauvres eux-mêmes, les avaient recueillis, une couverture sur les épaules, un abri, un repas : ils avaient hébergé ces étrangers, plus pauvres que pauvres, ces êtres qui n'avaient plus rien et ne pouvaient plus prononcer leur nom ; ils les avaient relevés et l'humanité entière avec eux. Hospitalité.

à ce stade de la nuit, le jour perce à la fenêtre et décolore le ciel dans la rue, la cuisine s'éclaire. J'ai su que Lampedusa était le nom d'une île il y a une vingtaine d'années, lors des premières arrivées de migrants dans son port et des premiers naufrages dans la zone. À l'époque, ce nom était pour moi celui de Burt Lancaster, celui d'un prince, celui d'un monde qui sombre, celui d'un écrivain, celui du mois d'août, celui d'un enfant. Il feuilletait en désordre différentes couches de sens, activait des imaginaires disparates, instaurait des scènes discontinues, des écritures qui toutes tremblaient dans l'épaisseur de son spectre. Étrangement, le toponyme insulaire n'avait encore jamais recouvert le nom de fiction qui avait fini par sédimenter en moi – ce nom de légende, ce nom de cinéma –, mais ce matin, matin du 3 octobre 2013, il s'est retourné comme un gant, Lampedusa concentrant en lui seul la honte et la révolte, le chagrin, désignant désormais un état du monde, un tout autre récit.

Ouvrage composé
par Entrelignes (64).
Achevé d'imprimer
par l'Imprimerie Floch
à Mayenne, le 13 novembre 2015.
Dépôt légal : novembre 2015.
1er dépôt légal : septembre 2015.
Numéro d'imprimeur : 89006.
ISBN 978-2-07-010754-4 / Imprimé en France.

298684